Abismo de dicha

Poesía para aliviar el alma...

NERISSA MARIE

Traducido por Daniel Añez Scott

ISBN: 978-1-925647-46-4

Los libros publicados por el Centro Quantum están disponibles para promociones especiales y *premium*. Para más detalles póngase en contacto con el Departamento de Mercados Especiales del Centro Quantum a través de books@happinessbliss.com

Creador inscrito en el Catálogo de Publicaciones (CiP) de La Biblioteca Nacional de Australia: Marie, Nerissa, autor.
Título: Poesía - Abismo de dicha (50+ Versos de amor románticos, poemas, poesía, versos de amor, un poema de amor, versos y poemas, versos y poemas de amor, libros de poemas de amor, libros poesía, poemas)
Nerissa Marie (autora); Daniel Añez Scott (traducciones).
ISBN: 9781925647464 (paperback).
Público objetivo: niños en edad de escuela primaria.

PRIMERA EDICIÓN

Para Mark.
Mi ángel guardián
que guía mi camino,
cuando el cielo se ve sombrío.
Hacia un lugar fascinante
y lleno de luz brillante.

Contenido

Frágil

~ Fácil de romper, delicado.
Potencial para quebrarse.

Yo brillo y me ilumino
alumbrada por el divino,
Cuando el mundo se siente vacío
Yo soy la persona a seguir
Desde la cima, el mundo es una gran roca
una corriente, un torbellino
mira como se mueve y se retuerce,
como una luz en la noche
mi brillo radiante
Rodeada por la nada, apoyada en el éter
Soporto tormentas, de todas las formas
Una reflexión
Una resurrección
Mi luz es la chispa
oculta en tu corazón
Olvida
No hay nada que seguir
Estás completo, la vida es dulce
Libérate de todos los miedos, limpia tus lágrimas
No hay nada más que el amor
Alumbro esta verdad desde los cielos
iluminando las oscuras fosas de tu corazón
Siente la luz interna
comenzando a girar
y verás que eres una estrella
brillando con luz propia desde la distancia

La vida como una Estrella

Mi muerte
Tu respiración
El sublime silencio suspendido entre los dos
El hilo delgado
El disco quebrado
las vidas en mi cabeza
de palabras nunca dichas
El ego es el que habla
antes que el amor llegue a la cima
La punzada de dolor
Mi corazón arde en llamas
quiero matar mi mente
para que el espíritu reine
¿Por qué soy "yo" la cruel?
Hace mucho me dejaste
me olvidaste
Era tan superficial
Pensé que significaba que había algo malo en mi ser
que había algo más que amor que tú podías ver
Pero eso soy yo
y tú soy yo
Es esta belleza lo que me hace llorar
Sé que es verdad
aunque no pueda verlo
Por ahora, simplemente
me aferro
jadeo
respiro
hasta que pueda sentirlo

Velo

Cuando mi corazón comenzó a latir era una niña
Alguien me dijo qué hacía y dónde vivía
Entonces escuché un sonido estruendoso y sentí algo sensacional
el lugar puro donde a la conciencia le gusta habitar
Fue la conciencia lo que lo hizo empezar
Antes de eso viví en gracia
sin un corazón necesitar

Abrazo de la vida

Despegué en un vuelo, desaparecí en la noche
Corrí muy lejos de aquí
Así conseguí esta cicatriz,
atraviesa mi corazón y me persigue en la oscuridad
quería olvidar, pero me estanqué en el remordimiento
La razón de nuestra unión, debía ser más que solo discusión
Me mostraste el camino que yo debía seguir
El charco de mi vida una vez pareció ser poco profundo
Todo sobre ti lo odiaba,
quería escapar del pegamento que emanabas
Más bien me quedé atascada
en tu fango estuve atrapada
Ahora conozco la llave, la que puede liberarme
El secreto no es correr, es dejar el pasado atrás, divertirme
Me guiaste hasta aquí
al lugar que siempre ha estado cerca
Dentro de mi corazón puedes mirar, el verdadero lugar para comenzar
La cicatriz desde la distancia, se ve sombría y oscura
Pero cuando estás cerca, es mucho más fácil verla
Es una fisura, de eso no hay duda
Cuando miras hacia adentro, es luz lo que ves
No tienes que salir y cruzar mares
para descubrir la verdad en mí
Hay luz aquí
Nunca hubo ningún miedo
Yo soy el amor que busqué
Mi corazón no se puede ser vendido ni comprado
esa es solo una historia comercial que nos han contado
Me diste la llave para poder discernir
la luz que siempre brilló dentro de mí

Perseguida por la dicha

Yo soy la rosa
Tú eres la espina
Tú alejabas a los depredadores mientras yo crecía
Ahora me siento sola
Me siento sucia e indigna
como si aún fuera la semilla, con dificultad para respirar
Para escapar, podría secarme y expirar,
y unirme otra vez con los cielos
disolverme en el aire
¿Te encontraré allí también?
A medida que me acerco a la luz, tu defensa crece en magnitud
Mi corazón trata de despegar
Volteaste tu daga hacia adentro, y ahora siento su filo
Yo sé que uno necesita al otro para avanzar
Pero siento que crecí y te logré superar
Quiero florecer
No dejarme consumir, en odio y celos
Ser protegida como si no fuera fuerte
En la naturaleza la espina sabe que no está mal
reducir su agarre, pero tú elegiste llevarlo más allá
Quiero florecer
Me siento sofocada
quiero escapar de tu abrazo
Pero la espina y la rosa crecen juntas
Supongo que estaremos conectados para siempre
siendo uno solo
Me has protegido de ser mutilada
Tratas de alcanzar los cielos con tu espina
pero ahora decido abrir mi corazón,
florecer por completo,
hacia la luz.

Crecimiento

Nuestra relación me dejó un sabor amargo
Tuvimos momentos buenos y momentos malos
El miedo me motivaba
Sin embargo, solo dejé escapar una lágrima
Recuerda los buenos momentos
eso es lo que decían todos
¿Eso me quitará el dolor?
En mi niñez
Siempre me porté bien
Me mantenías enjaulada
Me decías cómo comportarme
Traté de hacer las cosas bien
Hice lo que me pedías hacer
Hasta que un día me di cuenta, nunca sería libre,
si trataba de ser alguien mejor que yo
La felicidad se encuentra en el momento
no en los momentos pasados
ni en los momentos perdidos
Buscar la paz en el pasado enfría el corazón
La mente ha tomado el control
Te has disuelto en el éter
¿Puedo olvidar? Nunca
Pero puedo avanzar
Por la corriente dejarme llevar
Las manos que ahora me sostienen, todavía no son mías
pero son las verdaderas manos del hogar
En los brazos del espíritu
En la luz de la paz
Dije mi parte
Y a medida que reconozco mi pecado
me lleva al lugar del comienzo
para aclarar
para escapar
a la felicidad
La burbuja,
que me rodea estalló
La negatividad se acabó

soy amor
Que viene desde lo alto
y lo bajo
debajo de mis pies, y sobre la punta de mi nariz
Ya no vive más con temor
Soy un santo ser de luz
El dolor que causaste
Me hizo convertir en una causa perdida
Pero por supuesto la causa tenía un motivo
Abría puertas antes escondidas
Si no hubiera visto la oscuridad
Nunca habría descubierto mi verdad

Ser de luz

Cada aliento
Cada gota de sangre
Estamos atascados en algo
que no nos pide nada a cambio
y aún así queremos más
Siempre más
cazando para la guerra
¿Quién será el primero en caer?
Vamos a matarlos a todos
Cada aliento
Cada gota de sangre
Queremos luchar por el trono sagrado
y olvidamos que estamos solitarios
Emergemos del éter
y nos disolvemos en polvo
E igual pensamos que tener más es necesario
La vida es sagrada
Nuestra alma desnuda
Cada aliento
Cada gota de sangre
Mira la luz pura de tu corazón
Un día tocará morir
No olvides preguntar la razón
Estás aquí
porque Dios te puso aquí
y eso es suficiente
No aparentes ser fuerte
Estás perdonado
El espíritu se ha elevado
Cada aliento
Cada gota de sangre

Poema de paz

Todos estamos jodidos
Ellos quieren destruirnos
Envían hombres para una guerra luchar
para podernos aniquilar
El miedo hace más daño que una bomba nuclear
es la idea de que algo está mal
La guerra es de autoconciencia
Nos están despedazando
y quieren dejarnos en la oscuridad encerrados
levantémonos con amor
flotando en dicha
Tu paz permite que la conciencia fluya fuerte
No quiero que gente muera innecesariamente
pero al igual que tú olvidé que nunca nacimos
No hay por qué sentirnos desamparados
Busca en ti tu pureza
Para descubrir la eterna riqueza
actúa con cautela
la oscuridad caerá
y a cada uno de nosotros por encima de todo nos levantarás

Resistencia

Sentí que el toque de una madre podría reparar mi corazón
adolorido
Que una parte de ti podría reparar las partes de mí
que se separaron con hilo y pegamento
Quería que repararas las partes de mí que no estaban allí
autocompasión
seguridad
aceptación
Como si necesitara tu amor para sanar
Mi corazón se sentía oscuro y profundo
hasta que dejé a la quietud asomar
en mi interior
preguntándose qué temores surgirían
para descubrir que el amor que necesitaba de ti
siempre habitó dentro de mí

Partes de mí

Traté de ser buena
Tu crueldad me dejó perpleja
Cortaste tus lazos
sin ninguna explicación
Porque fuiste rechazado
compartiste esa carga conmigo
No quiero sentirme juzgada
pero sé que guardas rencor
Me gustaría ser la mujer perfecta
así no tendríamos este problema
Lo siento
Sabiendo que no quieres el amor que te puedo ofrecer
Es lo único que tengo para dar
Lo único que queda es perdonar
Quisiera que alguien me enseñara
cómo amar a pesar de la tristeza
Para no tener que esperar hasta mañana
para volver a los brazos de un ángel
antes de descubrir la paz y el amor que yo soy
De verdad necesito sentir esto hoy
Quan Yin lo único que te pido es
"por favor enséñame cómo"

Dolor perfecto

Quiero ser tu apoyo desde abajo
para que tú puedas trepar más alto
y sentarte en una torre
Puedo menguar
para que tú puedas pensar
que lo lograste
que alcanzaste tus metas
me mantendré de abajo perfil
me volveré una seguidora de ti
enterrada bajo tus pies
perdida en las calles
¿Pero no sería más sencillo
si subiéramos como equipo?
Así no tendríamos que detenernos arriba
simplemente nos disolveríamos en el éter

Escaleras hacia la luz

Nuestra inocencia está deshecha
por las palabras fuertes dichas
La rueda se detuvo
Miramos el reloj
el inminente tic toc
nos hace pensar que este mundo nunca desaparecerá
disolviéndose en la nada
Todos creemos en algo
Por eso sufrimos tanto
creyendo que la campanada es la definición de tiempo
quita la batería
escapa de la fábrica humana
descubre que la campana
es una mentira que inventamos de la nada
Cuando el reloj se quede estacionario
descubrirás que todo es imaginario
El susurro de gracia
será lo que lo reemplaza
el suave sonido
del tiempo cantando
es
falso
Es hora
de que el
planeta
se
despierte

Luz resucitada

Te extraño tanto
Extraño tu contacto
Tu dulce voz, me hace sentir que no hay que buscar una identidad
que soy suficiente para la realidad
Cuando hay mayor dificultad
anhelo más
que me saques de este estancamiento mental
La vida se siente tan vacía
Es a ti a quien quiero seguir
hacia el océano de éter
Donde no tengo que sentir esta turbulencia emocional
Ven, hay partes de mí que necesitan reparación
Por favor comienza con mi corazón
¿Cómo pudiste desaparecer?
¿En la atmósfera te pudiste disolver?
A veces la vida se siente tan real
Oro, me arrodillo
me rindo ante el divino
Por favor toma mi dolor, sé que no es mío
Me despierto
Pierdo el contacto
Bailando de aquí para allá
Dando lo mejor de mí
La vida es la prueba suprema
Sin importar cuáles cartas hayamos jugado
al final todos nos esfumamos
Volviendo a los orígenes
Disipándonos en el sueño
¿Quién soy, en ese momento?
Esta persona, este ser
¿Hay algo cierto en lo que estoy viendo?
Creo en ti
y eso me ayuda a liberarme de lo que me tiene atada
veo los inmortales granos, de arena que todos llevan en mano
No soy este cuerpo, esta forma
Me regalaste esta verdad

Dejarse llevar, dar un paso hacia la corriente
Somos espíritu, flotando en la neblina
seres de dicha
Mi corazón se empieza a hinchar
Sé que eres mi ángel guardián
Toda una vida, pasa en un instante
Agradezco este momento, y estar presente
No pasará mucho tiempo, hasta que contigo me siente
cuidando a aquellos que amo, también...

Arena inmortal

Por favor quiéreme
Por favor ámame
Por favor abrázame
Como un mendigo te lo ruego,
queriendo tu aprobación para todo lo que hago
Siento que estoy quebrantada
O quizá ya he despertado
las partes
que me hacen sentir como si todo se estuviera desmoronando
Lanzaste un dardo, lo clavaste en mi corazón
Siento tu indignación
Logré escapar de esa prisión
que me hizo sentir que era suficientemente buena para ti
Temo que me odies, que me regañes
Revelaste mis fallas
Abriste mis puertas
Rompiste mis murallas
Quizá me hiciste un favor, al destaparme
para poder mirar hacia adentro de mi carne
No hay nadie en casa, todo está vacío
Soy quien se sienta en el trono del juicio
En el juego sin fin, sintiendo el dolor
me mostraste cómo mirar hasta en el último rincón
Para ver lo que podemos ser cuando botamos la llave
libres eternamente

Diario de dicha

El suicidio es un paseo
Me quita cualquier rastro de orgullo
Dejar a un lado la realidad
Hace pedazos mi destino, y afirma que no hay nadie menos que yo
No hay nada por qué luchar, renuncié a todo derecho, a ser alguien
ahora que estoy dispuesta a sacrificar mi cuerpo
Despertar y hacerme libre
ahí es donde quiero estar
Necesito rendirme ante la historia no contada
Dejar que mi mente sea un reflejo de luz espiritual
Por favor deja a mi corazón volar
Le entrego mis miedos no a la noche u oscuridad
Se los entrego a la luz
En oscuridad y desesperación, siempre hay una luz brillando
Parpadeo en la noche
Una conexión a la luz infinita tan brillante que quebranta mi alma,
Nací en esa fuente, mato el remordimiento en mi mente
No somos este cuerpo, esta alma
Las historias no contadas
Somos palabras escritas por el espíritu
Elijo confiar en las manos que este guión han escrito
No soy la creadora de mi manuscrito
Aún quiero expirar
Pero la chispa dentro de mí sabe que es momento de volar

Vuelo silencioso

No quiero que mueras
La idea me hace llorar
¿Alguna vez estaré lista para decir adiós?
Sé que cuanto partas
una parte de mí se afligirá
Pero una profunda porción,
encerrada en mi corazón,
sabe que este solo es el comienzo
de un amor más profundo
que no está atado
que no ha sido hallado
no está oculto
no está escrito
Un amor que va más allá de los mares
Más allá de lo que tú y yo podemos ver
A veces finjo que somos tú y yo
Pero cuando comprendo la unidad
juntos,
para siempre,
somos puestos en libertad

Nudos del corazón

Siente el fuego en tu vientre, mientras apagas la tele
La pantalla ahora está en blanco, te diriges al barranco
Busca la realidad mirando hacia adentro, es el único sitio de comienzo
Una vez atrapado en una caja, descubres el cerrojo
Olvida tus problemas, no existen
Eres un espejo de pura consciencia, dicha divina
Entrégale tu vida a la fuente,
el combustible que motiva tu mente
Que te guíe tu corazón, no imágenes de destrucción y desolación
Estás en casa cuando miras adentro y descubres el lugar de comienzo

Una chispa

Creo que tengo el control de mi vida
Pero Dios es el que tiene la cuchilla
¿Cómo puedo manipular mi papel,
cuando ni siquiera estoy segura de que mi alma me pertenece?
La estadía en la tierra no es permanente
Quizá estamos aquí para jugar o para algo diferente
Se siente como:
placer
estrés
dificultad
¿Hay algo que ganar?
Uso una máscara
en esta gran farsa
Un día estaré muerta
quién sabe si alguien leerá este poema
Me siento avergonzada
Mi alma está mutilada
Es un trayecto cuesta arriba
al tratar de crear esta rima
ilusión
decepción
confusión
Cuando la vida se siente como prueba, porque todo se enreda
No queda nada más, podrías dejar tu mente descansar
relajar
reflexionar
presenciar la humanidad
un hormiguero de alboroto
Mira el mundo seguir su desarrollo
No somos quienes creemos que somos
Nos manifestamos como bebés desde lugares lejanos,
olvidando quiénes somos
Desbloquea el ego,
el perdón libera el dolor y termina todo el sufrimiento
Solo está el hoy
Para el remolino de la mente, deja que la consciencia comience
No estás aquí de verdad, no hay nada que temer

No eres nada más que amor
presenciando
manifestando
creando
todo este drama desde lo alto

Claridad tranquila

No dejaré que gane el lado oscuro
No dejaré que piense que es algo
Estamos todos asustados y no nos sentimos preparados
Pero cuando la muerte nos lleve a todos,
¿la oscuridad escapará de nosotros?
Tratamos de escapar
Olvida, hay que gozar
Retoza, bajo la luz solar
Pero las historias malvadas ya fueron manipuladas
filtrándose poco a poco hasta nuestros pensamientos
atrapadas en el borde de redes
todos nos sentimos atrapados
y aún así queremos complacer
esta malvada enfermedad
Que se esparce por el mundo
una máquina artificial
Necesitamos aceptar la oscuridad que vive
Quitarle su espacio para respirar
Recuperar nuestra sagrada inocencia
De nuestra infancia no queda ni de la piel la suavidad
permitimos el toque del tambor de la maldad
pensamos que somos su propiedad
Permitimos ser poseídos
Nos echamos la culpa por crear este enredo
"¡No más!"
Le grito mis oscuros pensamientos a las paredes
Fuera, autoridades
¿Pensaron que podrían programarme?
Nunca anticiparon esto
Este es el día que nunca esperaron ver
Ahora ustedes son los que deben correr
Un nuevo golpe está retumbando
Ustedes crearon esta máquina que por la luz se ve impulsada
Un alma valiente que no teme a la noche ni a nada
soy malvada
soy amor
Y esto es lo que nos da poderes que no vienen de lo alto

Tú destruiste mi alma
Miré hacia adentro para luego descubrir que lo que me quitaste nunca fue mío
Recuperaré mi poder
y traeré un ejército de ángeles
Porque tú eres solo luz
y este es el conocimiento que destruirá tu dolor
La oscuridad está muerta
Solo viviste en mi cabeza
Sé que no eres real
Nunca fuiste gran cosa
Pensaste que nunca vendría
Pero olvidaste
que yo soy el tambor
esta avalancha de luz apenas comenzó

Arco de luz

Delicadeza

~ Se requiere un trato suave.
Sensible al dolor.

En la palma de tu mano
yace una tierra lejana
oculta de toda vista, creada por ti
Te convertiste en un jugador, en este mundo de imaginación
En las mallas atrapados
todos olvidamos
que la orilla distante
no es real
el lugar más allá
de donde olvidaste que viniste
La vida se siente tan real y asombrosa
Todos creen que es gran cosa
Si nos evaporamos al morir
quizá todo es una mentira
Busca la libertad,
ese es tu heredad
Estábamos en lo cierto con algo
la vida no es un desperdicio
Las sombras dejan la quietud asomar
en tu corazón, déjala penetrar
Levántate del sueño
Vuelve a casa
Recuerda que nunca estás a solas
Tú creas el mundo
Es un remolino
A partir del polvo creado
Por la lujuria formado
El deseo y la avaricia no son lo que necesitamos
Descubre la semilla
mira como respira

Mundos distantes

La conciencia está reposando
la vida débil brillando
Las viejas sombras de mi corazón se comienzan a desmoronar
Viví en la oscuridad
Pensando que era el lugar más seguro para estar
las piezas de mí que nunca quise ver
Pero ahora al luz se empieza a meter
iluminando todo lo que he escondido
Los pensamientos más oscuros que creí que eran prohibidos
Intenté bloquear partes de mí misma,
que sentí que no merecían ser parte de mi vida
La llama penetró en mi cabeza
La alumbró en quietud
cuando sentí mi tristeza
Las cosas que pensé fueron malas
las partes que me hicieron sentir contrariada
me enseñaron gratitud
La luz detrás de la mente
La paz detrás de la dicha
las partes de mí que no quería ver
son las partes que están ahí para hacernos libres
La luz del corazón, aleja lo oscuro
El amor del espíritu, de los temores recónditos
rompen el molde que trata de contener,
las piezas de ti,
desearías que no fuera así
Confía en que eres más brillante que una lumbrera
Eres la luz que disuelve la noche más negra
Tu culpa y vergüenza son parte del juego
Ya eres libre,
porque existes eres más que suficiente para la realidad

Amor a la luz

Abre mi corazón
sepárame en dos
Devórame completa
Traga mi alma
¿Tengo sabor a sopa? ¿O como algo desabrido?
Quiero saber dulce, ser un placer
Como el maná de Dios
¿Estoy hecha de espíritu?
Es lo que dicen todos
Si me pruebas, verás
lo que me hizo realidad
Si me sentara en un trono ostentoso,
¿Tendría más sabor que solo carne y hueso?
Quizá mi fibra está más allá de este cuerpo
¿Soy alguien?
¿Algo?
¿Dónde comienzo?
a desenmarañar mi alma
a olvidar lo que he me han enseñado
Si mi alma no es carne
¿entonces cómo aceptarme,
mi verdadera yo en lo más profundo?
Por favor ayúdame
descubre
desenreda
la forma
de donde creo que soy
Aprende a viajar, más allá de la piel
aprende a separarte de esta red
Ni siquiera soy real
Sé que sería una exquisita comida

La cena de Dios

El ojo de la mariposa
nunca se mueve, nunca gira
La oruga tiene el anhelo
a volar por los cielos
Primero hay que aguantar los problemas más rudos,
capullo
busca un nido para reposar, un lugar sagrado para desarrollar
Se logra sanar después del dolor deshacer
Así se teje la red
El ojo parpadea
Tanto tiempo pasado en la oscuridad
Tanto tiempo pasado en angustia
Tanto tiempo queriendo respirar una vez más
Aún acostado en tu lecho, nada más has hecho
ni siquiera para buscar un pedazo de pan
Pero el ojo siguió mirando
El silencio estresa
El miedo de ser una presa
Suspendido en la oscuridad
Un hombre colgado
Tú emerges
tu alma fue destrozada
y en su lugar ahora hay dos alas
cosas simples,
aletear
y tus ojos nunca se han visto titubear
mirando adentro a la profundidad
Escapas a la claridad y una vez más te echas a volar
Tu ojo siempre se mantuvo igual
Yo busco esa identidad
ya que yo también sufro, antes de volar

Ojo de la mariposa

¿Qué es lo que te falta, que te hace sentir tan mal?
Desnuda la ilusión
Escapa de la confusión
Mediante tus ojos ves una realidad,
que olvida tu majestad
Ves que estás incompleto, eso te hace infeliz
mientras miras alrededor tratando de competir
El ciclo del nacimiento y muerte no se deja de repetir
Estás despierto y aún así estás muerto
Sal de tu cabeza agitada
¿De verdad recordaste bajarte de la cama?
¿Qué es lo que ves, que te hace estar tan seguro de la
permanencia de la realidad?
Olas del océano golpean la orilla
luego desaparecen como si hubieran sido ficticias
Aprende a nadar a través de olas de compasión
Porque tu cuerpo y alma, tu corazón,
están hechos de agua en su interior

Atención pura

Escapa de la niebla
creada por el laberinto de la conciencia
Los que te dan temor, están solo a tu alrededor
porque la parte asustada de tu alma los deja acercar
Todos son huéspedes en tu realidad
incluso tu propia familia
Deja todo mientras se derrite
Perdona las cartas que recibiste
Cierra tus ojos
Mira la caída
de la realidad que creíste cierta
mientras descubres que tú identidad es incierta
Descansa tu cabeza, alma, cuerpo y respiración
Siente la ilusión, reconoce la conclusión
Estás hecho con la magia del amor
No creado por el hombre de lo alto
Con muchos interactúas, pero es a ti a quien saludas
Abre tus ojos,
revela el disfraz
Tu corazón, con el miedo se tiende a bloquear
es el único lugar para comenzar
Ve todo como un ave
Mira el dolor controlándote
Pregunta, ¿quién soy yo?
Sigue el último aliento
Deja que tu mente descanse
Siente la felicidad interna
Deja que tu corazón lanzarse
en el océano, como una gota caes,
mientras con el todo te unes
Porque tú eres el que envía bendiciones de lo alto
Una chispa del divino
Yo soy tú, tú eres mío
Todo, todos, es magnífico
La naturaleza tiene la clave para disolver la realidad
El aliento sagrado ayuda a los árboles a crecer
En tu corazón descubre que cierto es,

el divino respira a través de tu ser

Aliento divino

Nuestra piel es un cascarón
que hace a unos creer que los demás pertenecen al seol
Pero tú no eres la piel
Tú eres nada
Olvida lo que creías que eras
Mira en tu corazón para iluminar las tinieblas
Olvida la religión o raza
Todos estamos hechos por gracia

Fundirse en uno

Cuando el divino quiso hacerte mío
explotaron estrellas en mi cabeza
me encantaba llevarte a la cama
Entonces me di cuenta que nunca podrías pertenecerme
ni yo podría repudiarte
Me preguntaba si podía tenerte prestado por un momento más
como un libro de biblioteca
¿Podría quedarme contigo
o me harían pagar más como castigo?
Supongo que esto está bien para mí
Pero antes de acercarnos más
nos tenemos que separar
Para poder descubrir de nuestro corazón el latido real
Quiero que seas mío
Para volver contigo
una y otra vez
Pero esta vida me tiene angustiada
y en esta vida estoy inmortalmente lisiada
Así que la próxima vez que nos separemos
no busquemos a otros
vamos a disolvernos en un corazón solo
Y ahí cuando el universo se ofrezca para unirnos
no será como una biblioteca
porque nunca nos separaremos

Prestado

Veo la luz de los dioses ardiendo en tu ser
Este deseo de saber la verdad en pocos se ve arder
Conviértete en el fuego
Consume de tu corazón los deseos
Olvida la telaraña
Busca la araña
que con destreza te hace desear
¿en cuál puente espera?
¿Y desde donde viene la telaraña?
¿Este mundo es real?
¿O está todo en tu cabeza?
La araña es el ego
Su telaraña ilusión
Y tú estás atrapado en el polvo de confusión
Con pinzas la araña traga
a la mosca que cayó en su trampa
Agáchate y lánzate
Sobrevive
Libera el nido
Nada por el mundo
Vuela por los cielos
Muere
Intenta
Olvida todo
Eso es lo que pide el corazón
Escápate
Diviértete
Dale al espíritu tu vida
Disuélvete en la dicha
Eres conciencia
La araña y la telaraña son tú
¿Quién sabe esto?
Muy pocos
Una cosa es hablar
pero esto nos hace debilitar
Olvida intentar
y podrás volar

saliendo de las sombras
entrando al éter
Cambia tú la dirección a la que quieres
en el reflejo, conviértete

Error de percepción

Sé tú misma
Muy lejos llegarás

Está bien si las cosas son difíciles
Está bien no sentirse suficiente
Está bien si la vida es inclemente
Disuelve la pantalla de vidrio
Porque cuando la cortina de la vida rompa el equilibrio
del sueño veremos el primer hilo

Aliento de luz

¿Fuiste hecho?
¿Cuán profundo es tu sepulcro?
¿Estás vivo o eres un difunto?
¿O simplemente los miedos en tu mente
te están manipulando
diciéndote cuál es el próximo paso?
La belleza que late dentro de ti
La luz del sol, desde donde late el corazón
es la verdadera fuente del tambor

Los demonios han creado un muralla
una que no podemos derrumbar
No quieren que los psíquicos vean,
sus planes
Crearon una manera
de drenar estrellas tan brillantes
para que solo podamos ver la noche
Cuando tratas de sintonizar
saben que las vas a escuchar
Espectadores lejanos vienen a visitar
pero no son bienvenidos, recházalos de tu hogar
Deja que busquen otro lugar para deambular
Queremos saber lo que harán después
No hay nada que necesites ver
Nada que necesites ser
Se mantienen encerradas detrás de puertas cerradas
Simulando que no existen
Pero hay algunos que saben
que los humanos luchan con más que mentes
Por eso es que debemos bajar nuestras armas
rendirnos ante el divino
Porque estás aquí como líder
Una persona que nadie entiende
y se espera que te sientas cómodo entre los hombres
Abandona tu miedo
Escucha
a los corazones que se quiebran como estrellas de vidrio
Viviendo engañadas por esta inmensa farsa
Porque los demonios no saben
que mañana,
nunca han existido
Hemos resistido
y ahora los eliminaremos
Construyeron sus murallas y no pueden escapar
Envíales tus oraciones
Perdona sus ambiciones
Olvida la necesidad de ser esclavo

Envía tu mente al sepulcro
Emerge renovado
Emerge como jnana
El verdadero propósito de la existencia humana
no es la persistencia dedicada
es seguir adelante
Permite que el espíritu te absorba todo
para que también puedes unirte con los demonios
y libera el sufrimiento de esta civilización
a medida que son cegados por la iluminación
que una vez más ha vuelto
para en la noche establecer su dominio

Ardiendo

Todos somos llamados a batallar
guarda tus armas
No hace falta pelear
Reposa en dicha
Ilumina tu conciencia
Tu luz es la fuerza
deja que tu alma crezca como flor
La luz está aquí
Mira al miedo correr
La guerra está por venir
Cúbrelos en llamas
Lo que te tiene lisiado es el sufrimiento de tu alma
Déjate sanar
Nada es real
Aprende a palpar
Cuando la humanidad se dé cuenta que todos estamos hechos de amor
ya no hará necesidad de recibir bendición
El mundo es vacío mientras viajamos como rebaños
Haciendo lo que quiere gente que no necesitamos
Olvidando que ya somos libres
Deja tu mente iluminar
Eres la salvación de la humanidad
Me inclino ante tu gracia
Agradezco tu capacidad de iluminar este lugar

Desata la gracia

La culpa y el juicio son un juego sucio
Diseñada para matar la mente y dejar que el miedo reine
Traga tu dolor
No dejes que drene, la chispa del amor
la semilla de ti que está presente en todos los seres
La culpa se usa para manipular
para que todos aprendamos a odiar
Culpando a los que están llenos de odio y codicia en
momentos de necesidad
nos mantiene atascados, en un lodo imaginario
Como árbol tenías firmeza, pero tus rodillas flaquean
Porque crees que necesitas alimentarte de envidia,
acepta consejos
El que señala, con otros tres dedos apunta en su dirección
Es hora de la resurrección
La auto conciencia, el lugar del que emergiste
es la semilla de luz donde todo comenzó
Baja tus armas, de crítica y culpa
empecemos un juego nuevo, de perdón
renacimiento
reaparición desde los cimientos
reconociendo lo que eres de verdad,
la luz dentro de la estrella

Resplandor

Antes de desaparecer, es hora de disolver tu temor
Esperas la aparición de Dios
Él ya está aquí
En lo profundo de tu corazón, está la llave
Las respuestas que necesitas para liberarte,
y disolver la realidad
Es hora de ser audaz
ahora que enfrentas la tumba
Es hora de ser despertar
Todo el odio dejar atrás
No se trata del mañana
O de aceptar la amargura
Todos tenemos remordimientos
Así que olvidemos y perdonemos
No puedes seguirlo conteniendo
Te estás fortaleciendo
a medida que tu cuerpo se escapa
En medio de la confusión
Entrégate ante el beso del alma
Te vemos mientras vas a la deriva, volviendo a casa con dicha

Dejando la tierra

Anida en los brazos de nuestro creador
"¡nos vemos luego!", lloramos
Lanzándonos a lo desconocido
Olvidamos nuestros inicios
Nos obsesionamos con lo más sencillo
por esto y aquello, quizá zapatos nuevos
La vida se hace sombría
Empezamos a sentirnos vacíos
El miedo es una ilusión
Todo este mundo es una decepción
Conoce la fuente
El lugar en que el alma reposa siempre
Al éter conectado
Jamás abandonado
Solo nosotros hemos olvidado quiénes somos
La fuente del "yo"
El camino es interno
Nuestro comienzo
Lanzándonos a la creación

Lanzarse a lo profundo

Devoción

~ Un camino de entrega total

Mi cuerpo es un recipiente
El espíritu es un mortero
Nada me puede aplastar
Ya tengo libertad
Es cuestión de disolver la realidad
Maleables son las especias
Eso no las hace menos valiosas
Estoy abierta a cambiar
para que la vida se pueda acomodar
La estructura a la que te aferras
no define tu identidad
Entrego mi alma, a una historia no contada
La vida es divina, soy solo un granito entre la humanidad
A veces me siento pequeña, como si no valiera nada
Soy el viento,
la hierba,
el ser,
la máscara
tomo la mano de Dios
mientras otra vez descubro
YO SOY

Confianza

Eres perfecto
Eres divino
Eres definitivamente magnífico
Te entrego mi vida a ti
¿Qué más se puede decir?
A veces me odio a mí misma y siento que vivo en un infierno
Así que te entrego esto a ti Dios, y sé que arreglarás lo incierto
¿Puedo trascender estas cuerdas que mi mente atan?
¿Puedo trascender la idea de que soy parte de humanidad?
¿Soy una parte
una pieza
un fragmento
de este lugar?
¿De verdad soy parte de la raza humana?
A veces desprecio mi cultura
nos atacamos y devoramos como buitres, creando amargura
Pero sé que en el presente, la vida es una ilusión
Un espejo de divinidad reflejando los ojos de Dios
Así que le entrego la llave a Dios, creador de mi realidad
Tú me creaste
pero yo puedo liberarme
Cuando reconozco que estoy hecho a tu semejanza
juntos disolvemos lo que nos ata
lo que nos mantuvo juntos y separados
Mi corazón está abierto
Te entrego mi vida a ti
Gracias Dios, por crearme y pensar en mí
Me siento tan agradecida de ser
una parte
una pieza
un fragmento de ti

Trascendencia

Muéstrame Dios
Muéstrame Dios
Muéstrame Dios
Estoy dejando atrás
todo sentido de identidad
Déjame vivir desde el corazón
Desvela la máscara que me atrapa en la oscuridad
¿Por qué me siento adolorida?
¿Dios curará mis heridas?
Si Dios está en mí, ¿por qué no puedo ver?
No entiendo
el propósito del plan de Dios
necesito fe en ti
para confiar a dónde ir
Siento un vacío
Necesito el olvido
Olvidarme a mí misma, yo puedo
Revelar el ego
¿Desde dónde me levanto?
¿Esta pregunta me llevará al quebranto?
Empiezo a despreciar
mi mente
pero necesito ser buena y fuerte
No queda más de que hablar
No hay más palabras que se puedan atravesar
Muéstrame Dios
Muéstrame Dios
Muéstrame Dios

Gracia divina

Las olas chapotean en la orilla del mar
disolviéndose en la arena por siempre jamás
Nadar o hundirnos
Tragamos la burbuja de oxígeno
que nos une con el mar de vida
¿pero desde donde viene esta burbuja?
Aire o éter
¿Nadaremos en la costa para siempre?
¿O nos disolveremos en la orilla del mar
y seremos libres por siempre jamás?

Entregarse al mar

Me siento tan perdida
Mi cerebro se empieza a deshielar
Todo es una mentira
Todos se dejan llevar
No hay razón, para el cambio de estación
Mira el cielo, míralo brillar
Nunca morimos y aún así nos preguntamos la razón
¿Cuál es el propósito?
Es subir a la superficie
el ser de ti
la creación de mí
Dios por favor libérame
Permíteme ver
Este es mi llamado
Muéstrame Dios que lo es todo
Necesito saber, por qué este lugar se siente vacío
Busca al adivino
Sé que está cerca
Ese será el final
¿Me voy a doblegar?
¿O usaré la verdad que la ilusión disolverá?
El amor es el maestro
la verdad que busco y no encuentro
Nada es lo que aparenta
El mundo es un sueño
No importa si el clima es fuerte,
cuando nos entregamos al éter
La chispa de la semilla
La verdad de la vida

Amor es Dios

Estoy solitaria
Nadie me acompaña
No tengo temor
Nadie está a mi alrededor
Me doy cuenta que el "yo"
que sirve de máscara para la ilusión
que originalmente sentía
me hacía sentir viva
No hay ningún yo
Nadie soy
Libre ya soy
Crees que eres tú
Pero somos uno no dos
Al "yo" le gusta hablar
Me gusta esto
Estoy contento
Estoy molesto
A este "yo" le gusta pensar que soy yo
Pero no soy nada más que realidad
Nada soy yo
Nada eres tú
Mi ego lucha por ser algo
Pero lo que quiere aparentar, causa dolor en mi realidad
Quiero ser buena
Actuar como los otros me recomiendan
Pero vivo en una ilusión
así que tratar de *ser* crea confusión
Necesito estar desnuda,
conectarme a algo sagrado, sentirme pura
Disolverme en el ego
Dejarme llevar del todo
Sal de mi mente
Corro sin saber adónde
Pensando que soy algo
Cuando en realidad no soy nada
El dolor se oculta
Olvida todo, escucha la llamada

de la dicha que te envuelve, la conciencia plena
Suelta los grilletes que me atan fuerte
la idea de que necesito actuar como dice la gente
Traga la llave
Libérame

Disolución

Es un destino con honor, no dejarse llevar por la codicia o el temor

Eres una luz radiante en un mundo de oscuridad
que muchos quieren aprovechar
Todos están acá
los espíritus llaman
no olvidas lo suficiente
tú espíritu es fuerte
hecho de amor
Tu presencia es un regalo de los ángeles del Señor

Presencia

La vida es tan mágica y llena de gracia
Nunca he estado en un lugar tan alegre
Aprendí a no estar infeliz por estar infeliz
No sé cómo manifestar aire
¿Así que por qué debería importarme?
Por tanto tiempo mi mente ha definido mi destino
Olvidé mi verdadero camino
dicha eterna
Sin principio, sin final
Le permito al espíritu enviar
el arco de luz por el cual me muevo
atravesando mi cuerpo
Me entrego a eso, el eterno rayo de luz de sol
la vida como un sueño
Somos como las sombras
bailando en la penumbra
consumidas por el miedo
Estamos aquí, o eso creemos
Con hambre de fe y confianza
Olvidando que somos reflejos de gracia
Salpicando desaparecemos
Reposo y espero la aparición de Dios
Sin darme cuenta que ya llegó
Oculto en nuestro verdadero yo interior
Entrégate al oír llamar
Date cuenta que nunca estuviste aquí en verdad

Desapareciendo

Ángel guía
Gracias por siempre estar a mi lado
por estar acompañando
Serás mi amigo más preciado,
hasta el final de todo
Me muestras el camino a seguir
y buenos hábitos que aprender
Agradezco mucho tu compañía
Tu sanación me libera
Siempre brillas
con una gran sabiduría
Estás informado
nunca demorado
Sabes el camino a casa,
de vuelta a mi corazón
Aprender a seguirte no tiene complicación
porque tu voz siempre guía hacia mi corazón
Gracias querido, ¡me has traído diversión!

Unidos por gracia

Los muros que construimos para protegernos de la tormenta,
no dejan entrar nada ni nadie
Adentro hay
frío
humedad
soledad
Quién pensaría que lo que luchamos para protegernos
crearía un lugar tan duro, frío y desolado
hasta que miramos adentro estamos todos atrapados
Mira y descubrirás un lugar de amor tan puro
que las paredes que construiste se disolverán
en algo menos oscuro
Quizá nunca existieron
y ya estás en un lugar cálido y placentero
Envuelto en amor eterno
Protegido del mal tiempo

Refugio sagrado

Mientras crees que tú eres tú
Dios es la plenitud
Por eso es aceptable
Pedirle a Dios que elimine tus temores

El río es un sueño
El pensamiento está revelado
Descubriendo quién eres, raro
Tu mente es la raíz de toda la resistencia
Supérala con persistencia
Vigila los pensamientos repetitivos, el ciclo del dolor
Perdona tu corazón
Al ego es a quien le gusta ser cruel y duro
Lánzate a lo profundo
Comienza por lo primero
estás nadando en lo incierto
en un sueño pareciera
nada es lo que aparenta

El amor lo es todo

Ven y abre tus alas
y ve que eres un ser de positividad
Perdemos el chi vital, cuando nos enfocamos en la negatividad
Abre tus alas y vuela alto,
hacia un cielo brillante e iluminado

Portal

Tú alumbras la oscuridad
Una chispa infinita
Cómo brillas
Llenando las grietas que se sienten vacías
Eres un mensajero del divino
Eres magnífico
Tú alumbras el camino
para que podamos ver
lo que es ser libre
Eres pura dicha
Una onda en el océano de conciencia infinita
Saludo a la luz
Entrego mi alma
Observo mi corazón
Liberar temores de oscuridad
A las historias sin contar
El abismo dorado

Papaji

Enamorada

~ Descubrimiento de la divinidad del ego,
nuestra verdadera naturaleza.

En la dicha,
nos damos cuenta que todo está bien
No hay nada que temer
el amor se deja ver
somos la lumbrera
que brilla sin barreras
La que buscamos
Da un paso atrás
buscando donde pasar
Nada es real, todo es surrealista
El aire; te diré un secreto, nada contiene
Todo es un sueño
Cambia el lente
eres el abismo
El lugar que extrañas
Dicha iluminada

Dicha

Abre tus ojos
dejando que las pestañas se rocen
de arriba abajo
su suave abrazo hace que tu cuerpo se vea medio despierto
y aún así ves
lo que aún no se deja ver
el velo entre el lente
cuando cierras tus ojos
no ves el todo
pero los abres ligeramente
y ves luz en el horizonte
La oscuridad está ahí
pero hasta que las imágenes del mundo llenen el vacío
tú estarás desprovisto
de
paisajes
escenarios
de ensueño
despiertas
Permite a la conciencia quemar
las ascuas de fuego
en tu corazón los deseos
Para descubrir la fuente
que ilumina
que marca la silueta ante la noche sombría

Horizonte de fuego

Eres un reflejo en el lago de Dios
Uno que no se puede separar del agua con un bastón
El amor es la naturaleza divina del espíritu humano
Pero no podemos verlo, ni escucharlo
Así que aprendemos a sentirlo
Mira para ver los ojos que te han protegido
Este es el "yo" que también es parte de ti
¿Hay uno?
¿O son dos?
El lago con su oleaje
Pero los ojos de tu creador se mantienen estables
en esta fábula, su corazón late
Lanza una roca en el lago
Es hora de que tu proyección despierte

Odiarte a ti mismo es el mayor pecado
¿En qué parte de la tierra es tu comienzo?
Comienzas en la fuente por supuesto
detrás del miedo, el fracaso, la escasez, el remordimiento
Tú eres la dicha
que disuelve el abismo
Yo soy tú
Tú eres yo
Tú eres Dios
hecho a la imagen del hombre
Recuerda donde comenzaste
Este lugar está demente
Por eso todos están afligidos
deseando las cosas que nunca tuvieron
tratando de ser
algo
alguien
quien sea
Tú ya eres la realidad
Este lugar es un sueño
lo que aparenta no es cierto
Toma mi mano
Entrégate a lo que Dios tiene planificado
Acepta el hecho de que estás a su lado
y todo se siente tan cercano
Todo se siente tan real que es surrealista
La chispa interna se ilumina
la oscuridad que habita dentro de tu mente
No eres más grande que una simiente
Una marioneta en las manos del espíritu
Sé que puedes escucharlo
el gentil llamado
desde el otro lado
del muro de tu mente,
relájate
Eres divino
Encontrarás paz

en este mundo si la buscas
Dios diseñó para ti algo especial
y tú eres uno con todo lo que existe
Eres el aliento del carpintero
Yo sé que sabes que eso es cierto
Olvida el llamado
No hay otro lado
Tal vez ni siquiera existas
Pero si existes
es porque Dios,
se
enamoró
de
ti

Romance universal

Pensé que había un lado
En el que los ojos de Dios se bañaron
Los ojos me miraban nadar en el riachuelo
Luego los ojos me envolvieron y todo esto se volvió un sueño
no hay ningún lago, ni riachuelo
No soy un reflejo en el sueño de Dios
No existo
No es necesario que insista
buscándome
Ya soy libre
No hay nada
Soy eso
Mi ego es el anzuelo
Mi cerebro el bandido
que me robó la nada
aunque pienso que me han robado algo
nunca hubo ningún lago
Al fin he despertado

Flotando

Si tu mente no existiera
aquí no estuvieras

"No hay palabra para el silencio interno".
Mi gurú dijo
que consultara esto con la almohada
Sintiendo un estado de amor que me abrumaba
me quedé dormida
Al otro día,
todos los pensamientos conscientes comenzaron a despertar
amor, consciencia, dicha
El anhelo de paz me llevó a este momento
Beso de Dios
Las relaciones son proyecciones de la mente
Libera todo pensamiento, entrégate
Así que pareciera
que cada pensamiento,
experiencia,
voz
es solo un sueño
El silencio interno es el lugar desde cual
la verdad de la vida comenzará

El silencio interno

Un toque
Amor
Un tambor
Amor
Un gran tamborileo
Amor
El corazón de creación trae paz a una nación
El sonido universal retumbando alrededor
¿Cómo podemos escuchar un sonido que no está sonando para el oído?
La luz es la fuente
El primer sonido
Trae la fiesta a la población
Relaja el ego
Entrega el corazón
Pierde el control
Entonces la escucharás comenzar
La música del corazón que empieza a sonar
hace levantar nuestros pies del suelo
y nos hace caminar y hablar con un ritmo nuevo
Cuando llega a la calle
cuando la gente comienza a escuchar
verás sus auras comenzar a brillar
Es polvo y amor
Los ángeles del cielo entonan una melodía
Mientras más la oyen más fuerte se escucharía
El ritmo de la creación une la nación
Con un corazón escucha el ritmo
Puedes escucharlo a tu alrededor

La paz divina la encontramos
Cuando reconocemos que el lugar del que partimos
es el mismo lugar donde todos comenzamos
Seres iluminados pensando que somos individuos
Somos ilusiones de la mente
Toda la lucha por la creencia de que somos
objetos,
seres,
humanidad
¿Pero somos amables o crueles?
Usando la conciencia como herramienta,
crea un velo,
navega por el mar
date cuenta que comienzas en el lugar
de amor verdadero del que nunca te separas

El silencio del buscador

Deja todo el mundo a un lado
Déjalo para un día nublado
Estas palabras no están para venderse
Esta historia no está para contarse
El mundo es una gema
Una gran estratagema
Crees que es parte de ti
Cuando en realidad tú eres parte de ello también
Olvida por qué estás aquí
Olvida lo que te hace infeliz
Entrégate
Entrega el "yo"
No preguntes la razón
Solo escapa de este lugar al que crees que perteneces
No es de dónde vienes
Bueno sí lo es
y no lo es
¿Lo puedes sentir?
Únete a la luz
que reside dentro de tu tercer ojo
El lugar de tu origen
Que ya llegó
ahora
presente
presentándote
Toca el velo
Disuelve el sueño

Inmersión

La dinamita que disuelve todo el pavor
es descubrir que tú eres conciencia manifestada como dicha
pureza misma
Identificarse con el cuerpo es sufrir
El amor divino es el intercesor
Queremos protección
Pero tan pronto como nacemos comenzamos a morir
El tiempo vuela
Todos buscamos el mapa que nos lleve de vuelta
a la fuente
al amor
a la inocencia
no hay nada que cambiar
nada que organizar
Tú eres el mapa
Que puede llevarte
a la dicha
Porque nunca viajaste en esencia
Tú ya eres consciencia

Inicio

Me acuesto en el suelo
mi alma tomó vuelo
Atrapada en ese espacio,
entre vacío y gracia
éter y vacío
La presión de la tierra, nos hace desear renacer
Pero la canción del corazón, nos muestra de dónde somos
Atrapados en el espacio
listos para caer despacio
descubrir la verdad de la vida
Dios creó esta muralla
"Vamos a destruirla."
"¿Puedes buscar los bloques?"
"¿Qué dijiste? ¿No están aquí ni siquiera?
Nunca pensé que Dios estaba tan cerca."

Desconcertada

Siento tal bendición
una gracia que no se puede ignorar
Cuando me siento en el lugar
donde tu rostro pude mirar
La magia en ti, me está llenando a mí
Gracias por entregarte
Me ayudó a acordarme
de esa luz,
ese espacio
esa gracia del corazón
Se humedecen mis ojos con lágrimas
Cuando el espíritu revela su disfraz
No hay nada más que el amor
Antes de que sea hora de irme
Me dejan libre
Los cielos arriba
abrieron sus puertas
Estoy rodeada por paz, por siempre jamás

Magia en ti

¿Quién mira a través de mis ojos?
Es el vidente
El mismo que vive
en tu interior

Eres una esfera de dicha
Flotando por la sima
Crees que estás aquí
Por eso estás lleno de temor
Pero no estás de verdad allí
Podrías estar en cualquier lugar
Eres un alma especial, o eso he podido escuchar
de los ángeles que miran tu vida pasar
Crees que tienes que hacer algo audaz
para merecer la vida
Pero la mereces porque existes
Eres una explosión de dicha
flotando por la sima

Explosión estelar

Abre tu corazón, eres un ángel enviado por el divino,
para experimentar lo que es vivir entre los humanos
Un reino de ángeles que olvidaron el camino
a las puertas del cielo, que están abiertas ahora mismo
Para por un momento,
escucha, respira
Deja que la mente esté tranquila
y descubre el secreto de la libertad
No hay nada que ganar,
el deseo trae sufrimiento y dolor
Sé lenta como caracol, al quitar el velo
La luz más allá
la orilla lejana
esa es nuestra puerta frontal
Luz, dicha y amor
Todo a nuestro favor
Eso creemos
Hasta que sabemos
que somos seres de amor,
de éter y polvo de ilusión
Somos la lumbrera,
la conciencia misma
El océano de amor es nuestro verdadero hogar
Ya estamos en ese lugar
El hilo se está desenredando
y nosotros estamos viajando
a un lugar tan cercano
es una maravilla que nunca habíamos visto
ya estamos a las puertas del paraíso

Ángel eterno

Sentí la lumbrera
brillar con tanta fuerza
que alcanzó mi ojo interno
brillando como un sol en el cielo
Mi conciencia se abrió de golpe
Pensé que estaba dañada
Todo se hizo borroso
Solo sentía amor
Para llegar a este lugar, para sentir la gracia de Dios
Me permití aceptar la aflicción
No la dejé para un día posterior
Presencié quien soy
En mi mente, el divino explotó
Creí que explotaría yo
mientras permitía a la luz entrar
Conocí el puente de muerte, es un buen lugar para estar
me liberó
Me hice adicta del
amor
la luz
la dicha
Buscando una vez más cuando quedé varada
buscando conciencia pura
No fue sino después
que entendí que la luz no era real
tuve que pasar detrás de la mente
para ver lo que había allí
Eres hermoso
Eres valioso
Lo que siempre buscaste
es la base permanente de todo lo que existe

Explosión divina

La vida no es lo que parece
un revoltijo de sueños,
el ego, nos deja huecos
Y no sabemos adónde ir, o a quien seguir
Tratando de probar, que somos mejores que los demás
Caemos en la rutina, de poner nuestra mente a prueba
Haz las cosas con calma
Nada nos debe apurar
Eres el creador
no un dictador
Tratamos de mandar
Intentamos crear
Una vida de logros
una melladura universal
tu existencia está completa
No hace falta la competencia
Los cables en tu cerebro se han fundido
por eso te sientes tan perdido
Suelta el control permanente
el esfuerzo de ser un alma independiente
Todos los corazones están conectados
infinitamente abrigados
Somos uno con todo
no podemos caer
Creemos que debemos SER
no podemos ver
Somos todo y nada
Viaja el camino a casa
Vuelve a la tierra de nadie
Para, por un momento, y verás
cuando te sientes y te dejes llevar
disolverás la realidad
El "yo" se une con el divino
no hay nada que sea mío
solo el sublime infinito
Entrégalo todo
Escuchas el llamado

del lugar interno
lánzate, nada
Deja que la corriente te lleve
Nadie puede obligarte
Olvida quien eres
Descubre que eres valiente
La paz y el amor no vienen de lo alto
están en tu corazón
el verdadero lugar del comienzo
Levántate de nuevo
liberada del estancamiento
No eres la mente
Relájate
Llegaste a lo más alto
Tú eres lo que siempre has buscado
Amor, conciencia y dicha
la luz de la sima

Costuras de vida

La poesía

Abismo de dicha, fue escrita mientras estaba a la deriva entre mundos. Entre sueños y el despertar. Al ganar consciencia, la vida no es lo que parece. Que todos son reales y a la vez son ilusiones proyectadas por el popurrí de la mente.

Es mi carta de amor para ti. Escrita con desesperación, esperanza y amor. Buscando significado y presencia. Descubriendo que la única verdad en la que vale la pena creer está oculta en el corazón.

El dolor, rechazo y unidad nos sumergen en la sopa de divinidad juntos como uno solo por siempre. Me encantaría borrar mi mente y todo lo que hay en ella. Al igual que un amante quebrantado desea escapar del dolor de la separación. Sin embargo, me encantaría aún más verme a mí misma viviendo dentro de los corazones de todos los seres. Para que descubras que el amor oculto dentro de ti es lo que sana tu alma, este mundo, y a la existencia misma. Es todo lo que buscas. Sigue a la mente hasta el lugar de dónde proviene, el corazón.

Cada día espero con inquietud y emoción ante los brazos de la muerte, o podría decir vida eterna. Preguntándome, cuando cruce al otro lado, ¿los carros, casas, y baratijas tendrán valor? Lo dudo mucho, y eso me hace percibir una sociedad en ruinas. Todos buscamos tesoros en lugares vacíos. La caricia de un amante nunca se puede olvidar y tampoco nuestra verdadera naturaleza, la dicha. Me rehúso a

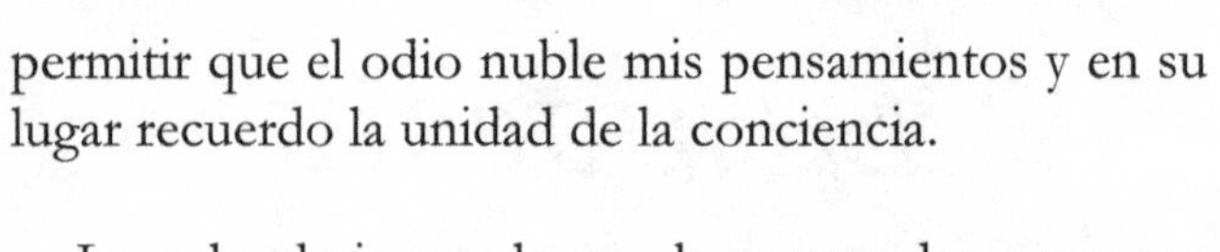

permitir que el odio nuble mis pensamientos y en su lugar recuerdo la unidad de la conciencia.

La gula obvia por la que buscamos las cosas me hace pensar que aquí es donde todos creemos que se encuentra la armonía. No en el servicio o la entrega. Pero aun así reflejamos nuestros deseos con una mentalidad de insuficiencia. Todos estamos perpetuamente hambrientos. Envenenados por la enfermedad, sin conocer la abundancia de la vida. Sin embargo, no puedo escapar de la esperanza.

¿La cantidad con la que alimento a los pobres o la manera como consuelo a los más desafortunados será valorada después de la muerte? Parece más probable. ¿O estos traumas se plegarán en la consciencia de la vida y la muerte solo para ser olvidados por mi mente cuando parta de este mundo?

Los sentimientos humanos con frecuencia son tan abrumadores que perdemos nuestra sensación de propósito y pertenencia. Olvidamos la pregunta, ¿qué hacemos aquí? ¿Por qué existimos? Más bien nos perdemos en la experiencia humana. Perdiendo noción del tiempo, dejándonos consumir por nuestro mundo externo.

El odio, el miedo y la envidia se manifiestan al buscar fuera del núcleo para descubrir tu verdadera identidad. Abandona todas las expectativas. Ve más allá de tu mundo externo. Solo por un momento.

La vida puede traer emociones de placer y dolor. Los sentimientos de culpa, el remordimiento, la vergüenza y la insuficiencia a menudo persiguen nuestra alma. *Abismo de dicha* va más allá de la emoción, más allá de la forma, más allá de la fe y explora la resonante verdad de la paz, el amor y el bienestar ocultos en el corazón.

La verdadera realidad se encuentra enterrada en el cofre. El verdadero cofre del tesoro. Lleno de luz dorada y dicha. El amor no es un destino, no es un sentimiento, no es una relación, es lo que eres tú. No tienes que buscarlo, solo necesitas escapar de las mentiras de la mente para que puedas ver tu ser, desnudo y real.

Te prometo que si miras debajo de tu piel, entre tus huesos, debajo de tus temores, y debajo de tus pensamientos, descubrirás la nada más dichosa que te liberará por toda la eternidad. Cuando la mente está en silencio, descubrimos el amor divino, nuestra verdadera naturaleza.

Nuestro corazón tiene la llave para ir más allá de la mente y descubrir un nuevo destino. Donde entregamos todos nuestros problemas al universo y volvemos a descubrir la belleza detrás del velo. Disolviéndose en una conciencia de bienestar y armonía del alma. Eres valioso. Eres un regalo para el mundo y eres importante. Eres amado, y todo está bien.

Que puedas caminar en luz, y descubrir que sin importar de dónde vengas o donde hayas estado, eres una manifestación de divinidad. Merecedor de amor, merecedor de dicha y paz. Algo milagroso y mágico te hizo manifestar, de lo cual eres parte. No una parte separada, ni diferente, sino completamente, enteramente, bendecida y adorada.

No somos más que rayos de luz flotando en la consciencia. Proyectando deseos en el abismo.

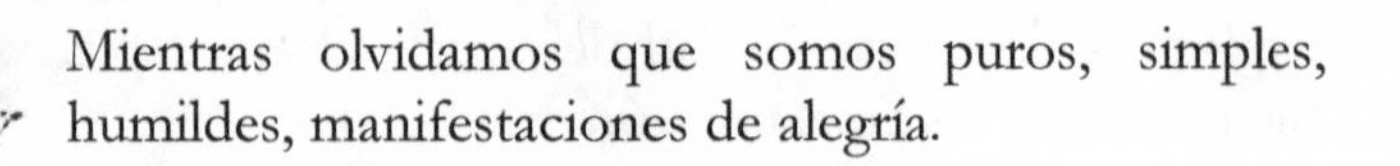

Mientras olvidamos que somos puros, simples, humildes, manifestaciones de alegría.

Con todo mi corazón.

Con todo mi amor.

Paz, paz, paz.

Acerca de la poeta

Nerissa Marie ama compartir luz y amor en todo el universo. Ella desea transmitir luminosas bendiciones y sonrisas a todos. Nerissa Marie es una autora, naturópata y mística. Le encanta escribir positivos e inspiradores libros infantiles para ayudar a los niños a brillar. Su objetivo es servir al espíritu universal, y convertirse en uno con el amor eterno. Algunas de sus cosas favoritas son los cristales, meditar y los batidos de frambuesa. Ella tiene una inmensa cantidad de gratitud por vivir en el planeta Tierra y por el entrelazamiento de su espíritu con el del lector en la danza de la vida, a medida que ella comparte el contenido de su corazón a través de la palabra escrita.

Namaste.
NerissaMarie.com

Libros infantiles de inspiración positiva

Disponibles en Amazon y la mayoría de otros minoristas en tapa dura, tapa blanda, Kindle y Epub.

La Princesa Kate ama a meditar. Un día de felicidad profunda, se eleva hacia el cielo, dejando atrás a su familia y amigos. El Rey Ravi Yogi llega al reino, y ofrece su ayuda para traer a la Princesa Kate de regreso a la tierra. ¿Escucharán sus consejos? ¿O la Princesa Kate flotará siempre por encima del palacio y fuera de su alcance?

La princesa Plum encuentra un hada, un unicornio, una sirena y un ratón inspirador que la ayudan a desarrollar su confianza y autoestima a través de pensamientos positivos y afirmaciones. Sus amigos ayudan a reconstruir su confianza cuando se embarca en una aventura, divertida y feliz.

Thomas descubre el propósito de la vida, es una inspiradora historia moral para alentar a su hijo a tener confianza y vivir una vida feliz y positiva. Thomas es un muchacho notable que cuestiona el sentido de la vida. Esto le lleva en un viaje de auto-descubrimiento, donde hace nuevos amigos y descubre su propósito de vida.

¡Regalos gratis! ¡Futuras publicaciones, promociones de libros gratis, y mucho más!
Disponibles en www.nerissamarie.com

CPSIA information can be obtained
at www.ICGtesting.com
Printed in the USA
BVHW030825240620
582229BV00001B/101